CW00968019

SUULGOOSKII HOWL KARKA AHAA

Suulgooskii howl karka ahaa

Sheekadda waxa sameyey ***Tuula Pere***
Sawiradda waxa sameyay ***Roksolana Panchyshyn***
Habeynta waxa sameyay ***Peter Stone***
Somali waxaa turjamay ***Noor Iman***

ISBN 978-952-325-993-5 (Hardcover)
ISBN 978-952-325-994-2 (Softcover)
ISBN 978-952-325-995-9 (ePub)
Dabacaaddii koowaad

waxaa daabacay Wickwick Ltd 2021
Helsinki, Finland

The Caring Crab, Somali Translation

Story by ***Tuula Pere***
Illustrations by ***Roksolana Panchyshyn***
Layout by ***Peter Stone***
Somali translation by ***Noor Iman***

ISBN 978-952-325-993-5 (Hardcover)
ISBN 978-952-325-994-2 (Softcover)
ISBN 978-952-325-995-9 (ePub)
First edition

Published 2021 by Wickwick Ltd
Helsinki, Finland

Originally published in Finland by Wickwick Ltd in 2017
Finnish "Avulias taskurapu", ISBN 978-952-325-072-7 (Hardcover), ISBN 978-952-325-572-2 (ePub)
English "The Caring Crab", ISBN 978-952-325-223-3 (Hardcover), ISBN 978-952-325-723-8 (ePub)

SUULGOOSKII HOWL KARKA AHAA

Tuula Pere · Roksolana Panchyshyn

Collin suulgooskii ayaa ahaa qofka xirfadda ugu wanaagsan leh ee xaga dhismaha. Ee bariga wabiga. Waxa uu naftiisa uga dhisay guri raaxa badan wabiga aktiisa. In yar in yar qolal yar iyo guryo waa weyn ayaa dhismay kuwaas oo laga dhisay dhagaxda iyo bacaadka wabiga. Marka hore waxa uu dhisay jiko aad u qalabeysan iyo qolyar oo la seexdo dhagaxa dushiisa. Mar horeba xagaagii hore guriga waxaa loo yeelay barando iyo dabaq labaad.

Dhisaha laftirkiisa ayaa aad ugu faraxsanaa natiijada, laakiin si aan hagar kujirin ayuu u qorsheynaaye inuu wanaajiyo si uu u noqdo waxa uu asaga rabay. Collin, suulgooskii waxa uu ahaa qof dadaal badan subixii markii qoraxdii soo baxday oo ay qabatay barxada gurigiisa, Collin waxa uu xirtay jaakadiisii jaalaha ahayd iyo qalabkiisii dhamaan oo u baahan doono. Marar badan qoraxdii ayaa ka dhacday mugdi ayaan ku galay isaga oo aan maalintaa shaqadeeda dhameynin.

Mararka qaar dayaxa habeenkii Collin ma hurdi karo laakiin waxa uu ku agwareegaa gurigiisa isaga oo ruxaaya seentiisa si farxad ku jirto. Waxa uu hagaajinayay dhagaxda xeendaabka, nadiifin iyo dhirta ayuu ka guraa agagaarka biyaha.

Waxay ahayd habeen neecowda bisha Agoosto dhacaysay. Collin, suulgooskii waxa uu dul fadhiyay saqafka gurigiisa waxa uu na daawanayay biyaha quruxda badan eek u wareegsan. Dabaqa ugu koreeya waxa uu la sinaa dhulka waxa uu ahaa mid qarsoon. Isaga oo u quruxsan sidii wabiga qarkiisa ay u qurxiyaan geedaha iyo howdka ka agbaxay, uma barbar dhigmin quruxda gurigiisa wabiga ku dhexyaalay ee uu aadka u jeclaa. Suulgooska waxa uu yaqiinay wabiga iyo gooladihiisa, dhagaxda iyo geedaha salkooda eek u soo dhacay sidii jeebkiisa oo kale.

Biyo macaan iyo nadiif ah ayaa waxay wabiga kaga soo qulqulayeen buuraleyda fogfog kuwaas oo ku soo qasmayeen biyo dhoobo ah oo ka imaanayey beeraha wabiga ku dhowdhow. Iyaga oo gabaad kadhiganaya dhulka sare iyo dhagaxda, kalluunka iyo xawaanada kale waxay caruurtooda ku korsadaan halkaas. Qof waliba cunta kufilan wuu helikara.

Marmarka qaar wabiga ayaa waxa uu keenayey waxyaabo layaab ah. Collin ayaa waxa uu qabsan jiray wax walba oo uu u arko inay muhiim yihiin. Waxa uu heystay sida kab duq ah oo uu u badalay baqaar cajiib ah iyo daasad faaruq ah oo uu ka dhigay jiko dabka lagu shito.

Habeenkii ayaa galay biyihiina way sii madoobaadeen. Dayaxii ayaa kor u soo kacay si fiican u iftiiminayay gurigii Collin. Waxay ahayd xiligii uu saqafka ka degilahaa gurigana uu gelilahaa. .

Collin suulgooskii ayaa si farxadleh u heesayay isaga oo diyaarsanayo casho. Isagoo ku heysto afka koob shah ah oo qaacayo ayaa waxa uu dangiigsanaa kursigiisa ee na dawaanaya darishada beerta ku jeeda . iftiinka dayaxa waxa uu ka arkayay barxadda beerta taas oo uu mar dhow dhisay. Waxa uu ku riyooday mudo farabadan in uu yeesho guri weyn oo barxad leh sidii kanoo kale. Hadda keliya ayuu awood u yeeshay inuu isu keeno qalabkii dhismaha ee uu dhiso aasaaskii. Shaqo badan ayaa harsaneyd sidaa darted waxa uu qorsheystay isbuuca xiga inuu shaqadaa dhameystiro.

Marka uu dhameeyo waxa ugu qabanaa isu imaad farxad beerta dhexdeeda saaxiibadii kuwaas oo fara badan. Collin waa uu garanayay asxaabta wabiga iyo berigiisa ku nool. Marmar ayay soo booqan jireen ayaga oo u sheegaya wararkooda ama weydiisanayey tallo iyo caawin. Collin waxa uu lahaa faanan xoog leh kuwaas oo aad ugu fiicnaa qudida aasaaska guriga diidiinka iyo buul ay kunooladaan reer salmon. Faananka waxa kaloo muhiim u ahaayeen markii alevinnada ay ku xirmaan sanduuq yada kallunnka. Haddii uu mar walba samayn laheen Collin kalluunka guri kuma jireen.

Kursigii ruxmayay ayaa waxa qaraacayey dhulka. Collin suulgooskii waxa uu isku qabtay indhah kana fikirayay sida waqtiga fiiraqada ugu isticmaali lahaa beerta una fiirsan lahaa sida wabiga u qulqulo iyo sida alevins uu ilayeen . waxay ahayd xiligii uu seexan lahaa.

Isniintii subexeeda Collin, suulgooskii ayaa waxa uu ku soo kacay telefoonkiis oo dhawaaqayo. Kalluunmadii duqda ahayd subaxaas caadi ma hayn. Si xun ayay ku seexatay habeenkaas sababtoo ah waxaa qaylinay majaroor meel kudhow dariishada qolkeeda.

" fadlan Collin ii hagaaji sida ugu dhaqsaha badan majaroorka?" ayaa kallunkii ku baryootamay.

" dabcan maxaa kale," Collin ayaa yiri.

Collin qalbi uu ku dhaho maya ma qabo, isagoo og inay maalin ku qaadaneyso guriga kalluunka. Waa inuu dib u dhigo dhisida beertiisa ilaa maalinta xigta.

Suulgooskii waxa uu soo aruursaday qalabkiisii dhismaha. Lacal hadii loo baahdo waxa kale uu qaatay sanduuqii biraha, alwaax yar, xoogaa dun ah iyo silig. Gurigii kalluunka waxa kale uu lahaa dhibaatooyin kale oo lama filaan ah.

Kalluunkii waxa ay sugi la ayd Collin in uu albaabka ka soo galo. Waxay hagaajisay miiskii jikada qaxwa iyo buskutna way saartay. Waxay qaadaneysaa daqiiqad ama labo in Collin galo shaqada. Marka hore waa inuu dhageysto sheekooyinka aan dhamaadka lahayn ee ku saabsan dhalinyaranimada kallluunka iyo inuu eeg eego sawiro farabadan oo laga qaaday caruurta walaaladeeda.

Maqribkii suulgooskii oo daalan ayaa waxa uu cidiyihii iskaga tirtirayay qashin meesha yaaley kadib waxa uu jeebka ku ritay cabirka. Majaroorka ayaa si adag loogu dhejiyey cunay ayaa la badalay.

Collin ayaa nabadgelyo ku dhahay kalluunkii taasoo taagnayd banaaka gurigeeda iyadoo gacanta u haatineyso iyadoo wajigeed uu ka muuqato farxad. Mahadsanid Collin sida aad ii caawisya. Gurigeedi qaaliaga ahaa laga ma saarin lakiin guriga hoose ayay gashay.

Manta wax hormar ah kama sameyn beertiisa. Laakin Collin ma calaacalin. Waxa uu lahaa qalbi wanaagsan. Collin waxa uu ku faraxsanaa inuu caawiyo qof walba oo caawintiisa u baahnaa. Waxa uu ku raaxeysan jiray inuu dadka la shaqeeyo waxa uuna dareemayay in uu yahay qof muhiim uh bulshada.

Markii uu waagii baryay suulgooskii waxa iska qaadayay daaha. Manta run a haantii waxa uu sii wadayaa dhisida teendhadiisa. Maalintan shaqadan uma wanaagsana waayo biya ayaa qulqulayay taagii gurigana waxa uu ku fidsanaa qoraxda.

Isaga oo markaas bogay shaqadii uu hayay ayaa waxa soo booqday norma, newt-kii. Waxay leheed qoys balaaran gacmaheedana way buuxeen. Waxa ay isdhaafsadeen salaan subaxaas.

" hagaag wax kale majiraan. Waxa aan hayaa shaqo badan, roob ama iftiin," norma-gii daalnaa baa sidaa tiri. " maanta waa inaan nadiifiyo toban dariishadood ee gurigaanaga. Haddii aan heysan lahaa jaraanjaradaas. Waxa aan gaari lahaa ilaa iyo dariishada kore"

" waan kuu imaan karaa oo ku caawin karaa," Collin ayaa soo jeediyay. Waqti badan oo aan barandadeyda ku dhiso ayaan heystaa berito. Waxa aan kala furfuryaa jaraanjarta si aan u qaato.

Maalintii talaadada Collin waxa uu si adag uga shaqeeyey gurigii newt . maqrib markii la gaaray daaqadaha dhamaan way dhalaalayeen. Collin waxa kaloo dib rakibay heer kul cabirihii biya qoyska iyo waxa kaloo uu toosiyay tiirkii qaloocnaa ee albaabka.

Kadib markii uu guriga ku soo laabtay waxa uu toos u abaaray sariirtii. Berito waxa uu waqti u helaa dhismaha barandadiisa.

Collin suulgooskii waxa uu lahaa saaxiibo nooc walba leh. Waxa ay ahaayeen kuwo waa weyn , yaryar duq iyo shabaab, qayli badan iyo kuwo degan. Laakin sally kallunkii ayaa ugu qiima daran. Collin waxa uu dabeecad u leeyahay inuu aruuriyo waxa walba oo dhalaalaya ee furarka dhalooyinka ee uu ka helo wabiga salkiisa una geeyo sally. Kadibana waxa uu ku qurxiyaa gurigiisa. Derbiyadda dhalalaya waxa uu u siticmaala sida iskaa tusto taas oo ay isku eegto. Mar waliba gacmaheeda way habeesnaayeen way na nadiifin jirtay.

Collin waxa uu fuulay jaraanratii waxa uu na bilaabay inuu isku xirxiro tiirasha barandadiisa markii Sally iyo kallunkii ay soo galeen.

" Collin ma qiyaasi kartid sida aan maanta u niyajabsanahay," Sally ayaa sidaa yiri. "hal isbuuc ayaa dhaafay wax cajiib ah oo dhacay malaha.

" run ahaantii taasi waa nasiib daro," Collin ayaa sidaa yiri isagoo isku xiraayo tiirarka geesaha isku haya ee dhagaxda u dhexeysa. Waa maxay dhibka jira run ahaantii ?"

Collin ayaa kor kagaranayey wax kasta inaysan u xumeen sidii la filayay. Sally waxay u baahneed inay hesho qof dhageysto waxa qalbigeeda ku jiray.

Collin ayaa si dulqaad ku jirto u dhageysanayey Sally isaga oo shaqeynayay isla markaana. Waxay ka hadashay dhamaan wixi ku dhacay isbuuc yadii la soo dhaafay.

Marka hore sally waa uu ku guuldareystay inuu hagaajiyo dhoobada ee dhulka sare. Meeshii laga rabay inuu noqdo sibix sibix iyo dhalaal jirkeeda waxa uu noqday cagaar iyo qaleel. Iyo sidii iyadoo ku filnayn sally wuu nacay sharaxaadda gurigiisa.

" qof booqday malaha maalimo ," Sally ayaa yiri, iyadoo gacmaha isdhaafsatay madaxana dulsaaratay.

" maanta waan ku soo booqan karaa hadii aad jeceshahay. Waan kuu keeni karaa furayaasha dhalooyiin iyo jajabyo dhalooyiin ah oo aan soo aruuriyay. Waxaan ku dhejinayaa deerka beerta si dhaqso ah," suulgooskiii ayaa balanqaaday.

Il biriqsi gudaheeda sally murugadii uu qabay waa laga baabi'iyey waxayna aaday iyadoo faraxsan guriga. Collin waa uu iyadii ayuuna raacay.

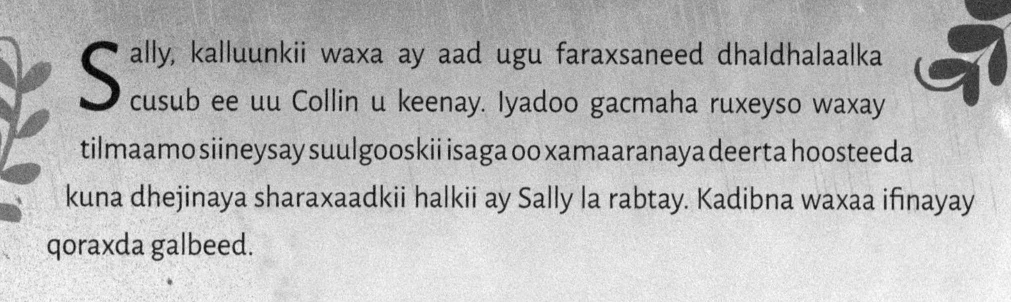

Sally, kalluunkii waxa ay aad ugu faraxsaneed dhaldhalaalka cusub ee uu Collin u keenay. Iyadoo gacmaha ruxeyso waxay tilmaamo siineysay suulgooskii isaga oo xamaaranaya deerta hoosteeda kuna dhejinaya sharaxaadkii halkii ay Sally la rabtay. Kadibna waxaa ifinayay qoraxda galbeed.

Collin dhabarka ayaa xanuunay bilaabya kadib markii uu shaqo adag qabtay. Si aayar ah waxa uu ugu luuday gurigii kuna fariistay kursigiisa. Arbacadii way tagtay iyada oo aan la dareemin.

" hadda un baan bilaabay barandada. Waxa aan la yaabanahay in aan bogi karo ilaa isbuuca dhamaadkii," Collin ayaa ka fakarayay isaga oo daalan.

Daaha qolkiisa jiifka ayuu ka arkayay sida nalasha u iftiiminayeen wabiga habeenkii.

"Waan hubaa in duufaanta ay berito ka tegi doonto wax badan oo dayac tir u baahan," Collin ayaa waxa uu awood u yeeshay inuu kafikiro inta uu san hurda qaadin.

Waxa ay u ekeed in qamiis imaaneynin. Duufaantii habeenkii dambeeye waxay cirka ku dhaaftay daruuro. Dhibicyo waa weyn oo roob ah ayaa ku dhacayay wabiga . si xoog ah ayay biyaha u socdeen, biyaha waxa ay ka soo qulqulayeen buuraha waxay ku shubmayeen badda.

Collin isaga oo daalan ayuu haddana shaqo bilaabay subixii kadib markuu isku hubsaday baaquli uuji ah. Rafaad kadib waxa uu awood u yeeshay inuu taago tiirashii. Ugu dambeyntii dhismihii waxa uu u ekaade sidii baranda oo kale. Collin xamaasadiisa ayaa kor u kacday.

Laakiin waxa yar kadib sawaxan ayaa ka soo baxayay agagaarka jaraanjarada sidaa darteed waxay noqotay inuu shaqada joojiyo. Koox qaswada yaal ah oo alevins ah ayaa hor iyo gadaal u socday.

" War maxaa dhacay," Collin ayaa ku calaacalay. " War xageed kuligiin ka imaateen? Soo ma arkeysaan in meeshu tahay goob dhismo?"

" waan ka xunnahay. Ula majeedno inaan ku dhibno," hooyadii ayaa raalin gelin ka bixisey. " caruurta ayaa isku buuqsan iyo warwarsan sababtoo ah duufaantii ayaa xalay la tegtay gurigoodii. Halkan ayay maleeynayaan gurigoodii sababtoo ah waxay u egtahay gurigii ay ku noolayeen dufaanta ka hor"

" taas ayaa ah waxa dhacay. Daadkii ayaa la tagay gurigeennii," kalluunkii ayaa ku calaacalay. " fadlan gabaad kama dhigan karnaa jaraanjartan, mudane suulgoos?"

Collin qalbi uu maya ku dhaho malaheen. Waxa uu arkay sida ay ugu faraxsanayeen inay ku dabaalaan xeendaabka jaraanjarada iyo alwaaxda suubiyeen.

Maalinta way ka bedelneed sidii qorshaha Collin uu ahaa qeebta hore ayaa waxaa soo buux dhaafiyay kalluunkii yaryaraa. Shaqadii Collin ma sii wadi Karin sidaa darteed waxa uu ku fikiray inuu nadiifiyo barandada isbuuca dhamaadkiisa.

Markii uu soo qaaday dermooyinka, kalluunkii yaryaraa ayaa waxay u baahdeen tageeradii mar labaad. Xirmo alwaax ah ayaa soo dhacay markay ciyaarayeen sidaa darteed yaryarkii ayaa hoostii ku xayirmay. Collin ayaa si daxadar leh u qaadqaaday alwaaxdii yaryarkii way ka baxeen qatartii kadib.

Xiligii qadadii, koox kalluunkii yaryaraa katirsan ayaa soo eegayay jikadii Collin. Kalluumadii waxay rajeynayeen inay qeebtood ka helaan qadadii Collin. Nasiib wanaag Collin ayaa waxa uu kariyay maraq kufilan. Wax badan oo kufilan qoys balaaran oo aad u gaajeysan ayaa la helikaray sidoo kale.

Gabal dhac ayaa la gaaray iyada oo lagu jiro buuq iyo sawaxan. Collin waxa u dabeecad ulahaa in uu xafladaaha kala qayb galo saxiibadii oo si fiicanna u baashaalaan laakiin tani sdii uu rabay way kabatneyd. Ilaa maalintii ka dhamaato hooyadii awood way u yeelan weysay inay dejiso caruurteedii oo ay si nabad ah u degaan.

Qoyskii kalluunka waay inay mar dhow raadsadaan guri meel kale.

" waxa laga yaaba inaan u dhiso guri cusub kalluunka. Hadii kale ma dhameystiri doono barandadeyda," Collin ayaa sidaa ku calaacalay kadib markuu qorshaha isbedelo.

Maalintii ugu dambeysay isbuucii shaqada, Collin ayaa waxa uu dareemaa farxad iyo reynreyn. Jimcahaan caadi ma ahayn. Collin waxa uu dareemayay daal iyo xanaaq.

Arin wanaagsan ayay ahayd inuu caawiyo saxiibadii isbuuca dhamaan uu kana farxiyo . laakiin ugu dambeyntii Collin waxaa ka xanaajiyay kalluunka hoos wareegaya barandada aan dhameystirnayn. Isaga oo xnaaqsan ayuu daaha xirtay.

Jimca kasta waxay ahayd in Collin qalabka dhismaha iska dhigo si uu u nasto. Kadiba kariyo ama dubo cuntooyiin macaan , ama dubo doolsha kadiban mart qaado saaxiibadii sidoo kale.

Laakiin hadda Collin tabar uu ku furo sanduuqiisa boostada una aqriyo wargeyska maalintaas. Waxa uu awoodayay in uu dul maro ciwaanada sheekada iyo xayeesiinta ku qoran wargeyska maalin laha ah ee river. Waraaq ayaa ka soo dhacday bogaggii uu aqrinayay.

"Warkan warkii ugu wanaagsanaa ee aan helo isbuucan oo dhan ," Collin ayaa fakarayay isaga oo aqrinayay sheeka ku saabsan isaga oo ku guuleystay dalxiis baqti nasiib oo lagu aadayay biya dhaca sare ee wbiga.

" tani waa waxa aan ku riyoodo mar waliba. Ma sugi kari inaan u sheego saaxiibadeyda abaal marintayda," Collin ayaa dhoola cadeynayay isaga oo aad u faraxsan.

Collin ayaa si farxad ku jirtu u qabsaday telefoonka una wacay sally kalluunkii. Suulgooskii kama uu san sugin Sally inta ay ka dhameyneyso sheekadeeda ku saabsan diraca ay sameysaneyso.

" waxa aan layaabanahay in jaalaha aan ku fiicnahay iyo in aan ku fiicnahay buluuga war iyo dhamaan,"sally ayaa ka fikirayay. Kuma fiicnid wax dooqida. Waxa fiican inaan u yeero pearl mussel bedelkaada."

" taas ayaa fiicanaan lahayd. Waaya arag ku ahi dharka laxirto habeenkii." Collin ayaa ku jawaabay.

" hagaag, mar dhow waan wada xariiri doonaa," sally oo degdegsanayo ayaa sidaa yiri.

Qadkii ayaa go'ay inta Collin uu san wax dhihin. Collin waa uu iska taagnaa isaga oo wareersan gacantana kuhaya telefoonkii.

" waxaan u wici lahaa Edie Eel-kii bedelkas. Sidaan xasuusto waxa uu mar waliba fasaxiisa ku qaataa biya dhaca wabiga. Waxaa laga yaabaa inuu warbixin iga safarkayga.

Collin ayaa sugi la'aa telefoonka ee Edie. Laakiin waxa u muuqday wax dhamaad lahayn ayaa mar waxa uu maqlay dhawaqa telefoon garaac maya. Ugu damabeyntii waxa telefoonka qabtay Edie, mana u e keen qof faraxsan.

"Seetahay Collin. Xiligan xili ku wanaagsan sheeko maha. Waxa aan u cararayaa xafladda deriskeyga. Waxaan jeclaa in aan halkaa tego inta wax waliba la iga dhameysan. Haddii aad arin degdeg haynin waxaan soo jeedin lahaa in aan mar kale wadahadalno."

Collin ayaa telefoonkii iska dhigay, si dhaqso ah waxa uu go'aan ku gaaray in uusan la qaybsan baqti nasiib uu ku guuleystay qofna. Run a haantii waxa uu rabay in uu seexdo.

Collin ayaa jiifay galabtii iyo habeenkii oo idil. Tabar uu ku meyrto ama dharka jiifka isaga bedelo ma lahayn. Habeenkii oo dhan waa uu jiifay.

Riyooyiinkiis waa la carqaladeeyey. Riyadda dhexdeeda ayuu wabiga ku dabaalayay isagoo saxiibadiina ay gacmaha u haatinayeen. In yar kadib Collin ayaa la arkayay isaga oo wada qalab farabadan oo ka dhacay qariiradkii. Qariiradkii ayaa waxa ku hashay bacaadkii wabiga ee salka hoose. Collin waxa uu xoogiisa isagu geeyay inuu qodo isaga oo isticmaalaya cidiyahiisa laakiin qariiradkii xitaa ma dhaqaaqin.

Cadceeda subixii ayaa waxa ay indhaha ka qabatay Collin laakiin waa uu ka sii jeedsaday. Ma uusan u soo kicin inuu albaabka inkastoo qof uu qaraacayay markis seddexaad. In yar kadiba sidoo kale qof ayaa qaraacayay daqadiisa. Laakiin suulgooskii waa iska dhega tiray.

Koox saaxiibo wareersan ah ayaa ku soo xoomay Collin gurigiisa hortiisa. Maalinkaas maliinkii ka horeeye ayaa dabeecadaa qalifsan ku arkay. Suulgooski sidii lagu yaqiinay ,maha. .

Hooyadii kalluunka ayaa waxay arinkaa kala hadshay kalluunkii klae. Waxay u wada yeertay dhamaan kalluunkii kale iyo dadkaloo la yaqiinay ayaa wejiyadooda meesha ka muuqdeen. Qof walibana waa uu wareersanaa.

Suulgooskii saaxiibadii waxay ay shir degdeg ah ku qabteen barandadii aan la dhameystrin. Qof waliba waxa uu ka hadlay sidii ay wax u jireen isbuucii hore. Kadib markii la maqlay qodobkii ugu dambeyey xaqiiqadu way cadeed.

Collin waa uu caawiyey qof walba laakiin qof caawiyay malaha.

Edie iyo Sally aad u ceebeysnayeen ayaga oo gartay in xitaa ay ka dhageysan waayeen Collin waxa uu telefoonka oga sheegayey maalin hore.

Hooyadii ayaa aad uga xummeed in caruurteeda ay ahaayeen kuwii ugu dmabeyey ee Collin wareershay. Barandadii ma la dhameystirin sababtoo ah caruurtteda ayaa si kumeel gaar ah hoy oga dhigtay.

'' waa inaan xoogeen iyo xandhadeen isu geynaa hadda,'' Edie ayaa sidaas xoog u yiri.

'' Taa su'aal kama taagna,'' catfish ayaa sidaa ku xejisay. '' anaga sidoo kale wax waan caawin karnaa. Aniga guri waan siin karaa qoyska kalluunka. Waxa aan keligay ku noolahay guri weyn iyo waxa kaloo aan aadka ugu fiicnahay ilma ciyaarsiiska.''

'' iyo aniga waxaan ahay renjiile wanaagsan,'' Sally ayaa sidaa ku dhaawaqay. '' shan buruush ayaan hal mar isticmaali karaa.''

Wada hadal nool ayaa halkaas kadhacay . Collin saaxiibadii ayaa qorshe halkaas ku dejiyey oo ku saabsan sidii ay u caawin lahaayeen ugana farxin lahaayeen mar labaad.

Waxay noqotay maalin sabti ah oo mashquul badan. Koox qiireysan oo mutadhawaciin ah oo doonaya in ay wax caawiyaan ayaa ku soo xoomay guriga Collin. Qof waliba shaqo kufilan ayaa loo haayey. Xitaa caruurtii kalluunka ku caawin kareen qqadida masaabiirta iyo kashawiitooyiinka.

Edie waxa uu ku mashquulsnaa kormeerida kooxda. Waxa uu hor iyo gadaal u mar marayey goobta shaqada isagoo bixinayey tilmmaamooyiin oo ah sida qorsha Collin uu ahaa kaas oo dulsaarnaa miiskiisa. Waxa muhiim ahayd barandada noqotay sidii uu Collin rabay.

Haddi ay ahaanlahayd Sally waxay barandada marin lahayd midibo dhalaalaya. Mid walba oo shanteeda gacan ah waxay ku heysay buraash kaas mid waliba midib u gaar ah.

" buluug muu noqdo," Edie ayaa si adag u yiri. Sidaa ayaa ku qoran qorshihii Collin, waanan garanayaa uu yahay midabka uu ugu jecelyahay, waa midabka wabiga iyo cirka."

Kalluunka shellfisha aad ayay wax gal uga ahaayeen goobta shaqada. Kooxda oo lix ka kooban ayaa wax badan qabtay mudo kooban gudaheeda. Laakiin lix lugood ayay wada jir u leeyihiin si ay wax oga caawiyaan. Laakiin inkastoo Sam uu lahaa hal lug haddana ismiit dhulka wax kaga wanaagsan malaha.

Goobta shaqada ayaa laga dareemayay aamusnaan kadib markii uu gabaalkii dhacay. Barandadii diyaar ayay noqotay. Xayaawanadii waay daalanayeen lakiin way faraxsanayeen. Maalinta xigta waxay ka yaabinayaan Collin.

Kooxdii fuundiyaalkii waxay aadeen guryahoodii. Catfish iyo caruurteedii gurigeedii ayay aadeen. Aamusnaan ayaa ku degtay gurigii Collin. Iftiin yar ayaa ka iftiimayay jikada. Kaasi waxa uu ahaa Sally taasoo soo jeeday si ay u caawiso saxiibkeeda. Xoogaa maraq ah ayay u diyaarisay Collin waxay na u dhigtay sariirta hoosteeda.

Qorax soo baxii dadkii ku noolaa wabiga agagaarkiisa iyo biyah waxay u soo kaceen isniin qurux badan. Dad ayaa ku soo aruuray guriga Collin iyaga oo wada hadiyado.

In yar kadib barandada iyo agagaarkeeda waxaa lagu safay kuraas, ubaxyo iyo saxamo ay ka buuxaan cuntooyiin macaan. Catfish waxay keentay cajaladah qadiimiga ah ee ah kuwii ay aadka u jecleet.

Waxay dhejiyeen calaamad ay sameysay Sally albaabka dushiisa. Collin barandada suulgooska kaas oo si wanaagsan loo qurxiyey.

Kalluunkii argooska ahaa ayaa loo diray inuu soo kiciyo Collin kaasoo weli jiifay sariirta qolka mugdiga ku jirtay. Aargooska ayaa waxa uu sariirta ku dhaqaajiyay iyaga oo sariirta kuwada saxiibkood waxayna keeneen barandada. Saxiibada way aamusnaayeen.

Go'ii ayaa jiidmay. Collin ayaa isgedgediyay, kadibna bustihii ayuu gees ka qaaday. Weji sidaa u xirxiran lagu ma arkin wabiga. Collin ayaa soo fariistay isagoo aamusan ee na fiirfiiriyey hor iyo gadaal isagoo ku dhex jira barandada cusub isla mar kaana ay u dhoola cadeynayaan.

Oohin farxadeed ayaa ku qulqulaysay dhabanadiisa yar yar. Daalkii iyo guuldarooyinkii ee isbuucii hore ayaa hal mar maskaxdiisa ka baxday. Collin ayaa mar labaad faraxsanaa mana uusan jiijin Karin inuu u mahad celiyo saxiibadiisa. Barandadii ayaa loo dhisay sidii uu rabay. Waxaa kaloo farxad u ahaa saxiibada qiimiga badnaa ee garab taagnaa.

Kooxdii faraxsaneyd ayaa maalintii oo dhan ku mashxaradeysay barandada. Gabalkii markuu dhacay waxay shideen nalalkii la sameeyey, kooxdii ayaa sii fadhiyay ilaa habeenkii. Heeso macmacaan ayaa waxa ay ka soo baxayeen codbaahiya kuwaas oo laga maqlayay. Habeenka aad ayuu u wanaagsanaa.

CPSIA information can be obtained
at www.ICGtesting.com
Printed in the USA
BVHW021713190121
598159BV00008B/97